28 janvier 1914   P

VENTE
Des 28 et 29 Janvier 1914
HOTEL DROUOT, SALLE N° 1
A DEUX HEURES

BON MOBILIER

Objets d'Art et d'Ameublement

APPARTENANT A MADAME X...

COMMISSAIRE-PRISEUR
Mᵉ HENRI BAUDOIN
10, rue de la Grange-Batelière

CATALOGUE

DES

Beaux Meubles Modernes

PROVENANT EN PARTIE DE LA MAISON JANSEN

SALLE A MANGER EN CHÊNE SCULPTÉ GARNI DE BRONZES

Sièges variés, Tables, Crédences, Bureaux, Glaces, etc.

PIANO A QUEUE, PIANO DROIT DE PLEYEL

Porcelaines, Faïences, Objets de Vitrine

SCULPTURES EN MARBRE

BRONZES DE LA CHINE & DU JAPON

Porcelaines et Matières dures montées en bronze

ARGENTERIE, OBJETS VARIÉS

TAPIS D'ORIENT, RIDEAUX, ETOFFES

Le tout appartenant à Madame X...

ET DONT LA VENTE AURA LIEU A PARIS

HOTEL DROUOT, SALLE N° 1

LES MERCREDI 28 ET JEUDI 29 JANVIER 1914

A deux heures

COMMISSAIRE-PRISEUR

Me HENRI BAUDOIN, Successeur de M. Paul CHEVALLIER

10, rue de la Grange-Batelière

EXPOSITION PUBLIQUE

Le Mardi 27 Janvier 1914, de deux heures à six heures

CONDITIONS DE LA VENTE

Elle sera faite au comptant.

Les adjudicataires paieront *dix pour cent* en sus des enchères.

Paris. — Imp. de l'Art, Ch. Berger, 41, rue de la Victoire.

DÉSIGNATION

FAIENCES, PORCELAINES

1 — Service de table et à dessert en faïence, décor genre Rouen.

135

2 — Grand plat en faïence genre Palissy.

3 — Vase et bouteille en céramique, décor à reflets métalliques, par *Clément Massier*.

4 — Deux grands vases en céramique blanche, décor bleu,

5 — Deux vases à anses en céramique décorée.

6 — Deux vases en céramique, à décor de pastilles blanches sur fond vert.

7 — Cache-pot et deux vases en porcelaine décorée.

8 — Vase en porcelaine ajourée, décor de fleurs. Fabrique de Copenhague.

9 — Éléphant et rhinocéros en porcelaine blanche de Copenhague.

135   10 — Deux chats et un chien en porcelaine de
      Copenhague.

      11 — Mouette en porcelaine de Copenhague.

      12 — Beurrier couvert et son plateau en porce-
      laine anglaise, décor blanc sur fond bleu.

      13 — Vase, forme balustre, à godrons, et bou-
      teille à long col, décor fond bleu. Porcelaine
      de Sèvres.

160   14 — Deux vases ovoïdes couverts en porce-
      laine de Sèvres, à décor bleu et or.

      15 — Deux coupes et corbeille en porcelaine, à
      décor de fleurs.

      16 — Groupe en porcelaine décorée : Enfants
      jouant et dansant.

      17-18 — Huit statuettes de personnages de la
      Comédie italienne en porcelaine décorée.

      19 — Groupe en porcelaine décorée : la Décla-
      ration.

      20 — Groupe de trois personnages en porcelaine
      décorée.

340   21 — Deux coupes couvertes en porcelaine, à
      décor de myosotis, et un bol couvert en por-
      celaine, décor de fleurs sur fond vert.

      22 — Deux vases en porcelaine de Chine à fond
      vert.

23 — Vasque en porcelaine de Chine, décor de dragons et fleurs sur fond jaune. *230*

24 — Deux jardinières octogones en porcelaine de Chine, à décor polychrome de paysages et fleurs. *100*

25 — Grande vasque en porcelaine de Chine, à décor de paysage en bleu sur fond blanc. *225*

26 — Grand plat en porcelaine de Chine, à décor d'animaux dans un paysage.

27 — Deux grandes vasques en porcelaine de Chine, décor de fleurs et de feuillages en bleu. *170*

28 — Chien de Fô en céramique décorée de la Chine.

29 — Deux chimères-porte-fleurs en grès émaillé de la Chine.

30 — Groupe, formé de trois chimères, en porcelaine de la Chine, décor bleu.

31 — Deux groupes en porcelaine blanche de la Chine : Poules couvant. *120*

ARMES, VERRES
OBJETS VARIÉS

32 à 35 — Fort lot d'armes, orientales et autres : sabres, poignards, masse d'armes, cotte de mailles, rondache, fusils, etc.

36 à 38 — Vingt-deux pièces en verre de Venise : coupes, vases, flacons.

39 — Deux vases soliflor et une coupe en verre décoré par *Daum*

40 — Deux vases en verre, de *Gallé*.

41 — Vase en verre décoré, par *Daum* ; monture en argent doré.

42 — Vase en verre gravé, monté en argent.

43 — Vase en verre teinté et gravé ; monture en bronze doré et reperce.

44 — Porte-fleurs en verre et vase céramique, montés en argent.

45 — Deux vases en verre opalisé, montés en argent et argent émaillé, par *Lalique*.

46 — Vase en cristal taillé et doré, de forme aplatie, et vase quadrilatéral en verre décoré.

47 — Coupe à godrons en cristal, sur pied en bronze.

48 — Coupe, formée d'une soucoupe en porcelaine décorée sur pied en argent doré.

49 — Deux bouteilles en verre, avec monture en argent ciselé et repercé.

50 — Deux grands vases en porcelaine décorée; montures en bronze doré.   *540*

51 — Quatre statuettes en terre peinte. Travail japonais.

52 — Petite boîte ronde en jade, sur socle en bois dur.

53 — Médaillon en cuivre émaillé : Buste de Japonaise.

54 — Statuette en ivoire : Japonaise jouant de la mandoline.

55 — Vase en pierre de lard orné d'animaux chimériques.

56 — Petit vase couvert en ivoire sculpté, à décor de jeux d'enfants. Travail japonais.   *260*

57 — Deux pitongs en ivoire sculpté, à décor de personnages, sur socles bois laqué. Travail japonais.

58 —. Miroir, sur socle en bronze en forme d'arbuste, de travail japonais.

59 — Petite papeterie en bois de placage.

60 — Buste en plâtre : Jeune fille.

61 — Cantine de fumeur en bois. Travail chinois.

62 — Miroir dans une boîte, décorée au vernis. Travail persan.

63 — Deux petits miroirs, dans des cadres en bois doré.

64 — Thermomètre, dans un cadre doré.

65 — Dragon en bois sculpté et laqué. Travail chinois.

66 — Socle-applique en bois sculpté, décor de dragon.

200   67 — Deux pitongs en bois laqué. Travail du Japon.

68 — Vase en émail cloisonné de la Chine, décor de fleurs et d'oiseaux sur fond bleu. Anses-têtes d'éléphants.

236   69 — Deux pitongs en émail cloisonné de la Chine: paysages en bleu.

325   70 — Deux cache-pots cylindriques en émail cloisonné de la Chine.

71 — Deux vases-brûle-parfums, sur trois pieds *410*
en forme de têtes d'éléphants, en bronze et
émail cloisonné de la Chine.

72 — Deux vases en émail cloisonné : fleurs et *300*
rinceaux sur fond blanc.

73 — Grande jardinière en émail cloisonné de *295*
la Chine : fleurs et oiseaux sur fond bleu.

74 — Groupe de trois cavaliers et statuette d'enfant nu et assis en bois sculpté.

75 — Pichet en étain, anse en forme d'arbuste,
orné d'une statuette d'enfant pêcheur, par
Vibert. Maison Siot-Decauville.

76-77 — Quatre miroirs variés, cadres en bois
sculpté et doré.

ARGENTERIE, MARBRE
BRONZES, PENDULES

78 — Théière, pot à lait et sucrier en métal argenté.

79 à 81 — Environ trente pièces en argent et métal argenté : ustensiles de poupée, chaises, gobelets, cuillers.

82 — Deux brosses en argent repoussé.

83 — Deux petites coupes en argent.

84 — Quatre pièces : vases et gobelets dont l'un monté sur pieds-boules en argent.

85 — Aiguière et bassin argent. *Maison Lapar*.

86 — Garniture de toilette en argent ciselé, à décor de coquilles, comprenant : cuvette et pot à eau ; grande boîte rectangulaire ; boîte à éponge ; boîte à poudre ; deux flacons montés en argent ; cinq brosses, monture en argent ; cinq ustensiles de toilette en argent. *Maison Odiot*.

87 — Icone gréco-russe en argent doré : Saints personnages devant la Vierge et l'Enfant Jésus.

88 — Quatre petites consoles-appliques en marbre sculpté à figures humaines.

89 — Deux statuettes en albâtre : Femmes drapées à l'antique. Socles en marbre.

90 — Groupe en marbre : Enfant jouant avec une chèvre. *242*

91 — Gaine en marbre de couleur sculpté à coquille et feuillages. *300*

92 — Statuette en marbre blanc : Hébé. *810*

93 — Statuette en marbre blanc : Baigneuse. *680*

94 — Deux colonnettes-supports en marbre de couleurs et chapiteaux en bronze doré.

95 — Deux grands vases, formant girandoles, à quinze lumières, en marbre blanc et bronze doré. *1.385*

96 — Deux candélabres, composés de vases en cristal montés en bronze, à cinq lumières. *620*

97 — Paon en cuivre repercé. Travail oriental.

98 — Lampe en bronze argenté, disposée pour l'électricité, avec abat-jour en dentelle.

99 — Deux lampes en métal argenté à godrons, disposées pour l'électricité.

100 — Deux candélabres et deux flambeaux en cuivre, genre gothique.

101 — Deux flambeaux porte-cierges en bronze, de style gothique.

102 — Brûle-parfums et son socle en bronze de la Chine.

103 — Deux chiens de Fô en bronze de la Chine.

104 — Vase en bronze de la Chine, anse en forme de fleurs.

105 — Vase à deux anses, de forme balustre, en bronze noir de la Chine.

106 — Groupe en bronze du Japon : le Montreur de singe.

107 — Deux vases en bronze du Japon.

108 — Brûle-parfums en bronze de la Chine et son socle.

109 — Statuette de divinité en bronze doré de la Chine.

110 — Faucon en bronze argenté, sur socle en bois simulant un tronc d'arbre.

111 — Deux petits vases en bronze doré, décor de personnages antiques, par *Levillain*. *Maison Barbedienne*. — Et vase en bronze sculpté, par *Meliodon*. *Maison Louchet*.

112 — Groupe en bronze : Enlèvement de Déjanire par le centaure Nessus.

113 — Statuette de Mozart enfant, par *Barrias*, *240*
en bronze argenté. ***Maison Barbedienne.***

114 — Série de poids en bronze.

115 — Deux landiers en bronze patiné, à figures *500*
de guerrier et de femme drapée.

116 — Grand miroir de toilette, cadre et appliques à deux lumières en bronze argenté.
Maison Boudet.

117 — Deux candélabres en bronze, à décor de
femme supportant une branche à deux lumières.

118 — Groupe en bronze, formé d'une statuette
de faune accroupi supportant une coquille.

119 — Statuette de femme drapée en marbre et
bronze argenté, par *Barrias. Maison Susse.* *1400*

120 — Deux petits groupes en bronze : Jeux *210*
d'enfants.

121 — Coupe couverte en bronze émaillé. *Maison Barbedienne.*

122 — Groupe en bronze, par *Mène* : le Valet
de chiens.

123 — Groupe en bronze à patine verte, par *310*
Pradier : Enfant et cygne.

124 — Candélabre en bronze doré, à trois lumières.

125 — Deux chenets en bronze : Enfants se chauffant.

126 — Deux chenets en bronze patiné, à figures de Chinois.

127 — Pendule-applique et baromètre-applique en bronze doré.

128 — Deux chenets en bronze doré, modèle à aiguières, de style Louis XVI.

129 — Petite pendule, forme œil-de-bœuf, en bronze doré.

130 — Pendule en bronze, ornée de trois personnages chinois.

131 — Deux candélabres en porphyre rouge et bronze doré, à cinq lumières, modèle à serpents enroulés et fleurs de lis.

132 — Deux vases en marbre de couleur, montés en bronze.

133-134 — Deux pendules-cage en bronze doré, mouvement 400 jours, cadran signé : *Grivolas, Paris.*

135 — Pendule en bois art nouveau, mouvement à 400 jours, cadran signé : *Grivolas, Paris.*

SIÈGES, MEUBLES

136 — Grand écran en bois laqué noir, à double face, avec applications en bois et matières dures : perroquet et oiseaux sur une branche.

137 — Niche à chien en bois sculpté et doré.

138 — Miroir à trois faces ; cadre en bois sculpté et doré.

139 — Glace, cadre en bois mouluré, avec incrustation de nacre et d'ivoire.

140 — Table en bois décorée au vernis, garnie de bronzes.

141 — Fauteuil et deux chaises en bois sculpté, peint gris et cannés, avec coussins en velours de couleurs.

142 — Canapé en bois sculpté et peint gris, canné, avec coussin en velours jaune.

143 — Banquette en bois sculpté doré et cannée, avec coussin en tapisserie au point.

144 — Deux petites consoles en bois sculpté et doré, avec tablettes de marbre.

145 — Fauteuil à coiffer en bois sculpté doré et canné, coussin en velours ciselé rouge à fond blanc.

310   146 — Console en bois sculpté et doré, avec
       mascarons têtes d'hommes ; dessus de mar-
       bre de couleur.

310   147 — Paravent, à trois feuilles, en bois sculpté
       et doré, garnie de soie pailletée et de glaces.

400   148 — Deux guéridons en bois doré et marbre
       de couleur.

550   149 — Canapé en bois sculpté et doré, couvert
       en soie bleue brochée à petites fleurettes.

       150 — Bergère en bois sculpté et doré, couverte
       en velours ciselé à fleurs sur fond bleu pâle.

800   151 — Bureau plat en acajou et bronze ciselé et
       doré.

       152 — Table en noyer, avec entrejambes.

       153 — Deux chaises en chêne sculpté, couvertes
       en soierie.

       154 — Deux fauteuils en noyer sculpté, couverts
       en velours, avec applications.

       155 — Fauteuil et deux chaises en bois de pla-
       cage, couverts en velours.

       156 — Canapé et deux chaises en bois peint
       gris, couverts en cretonne imprimée, avec
       coussins.

157 — Paravent en bois sculpté et peint gris, avec quatre feuilles peintes à arabesques et vases de fleurs.

420

158 — Bergère en bois sculpté et peint gris, couverte en velours ciselé à quadrillés sur fond rose. Genre Louis XVI.

160

159 — Banquette avec pieds à X en bois peint gris et doré.

160 — Table de milieu en bois sculpté peint blanc et doré ; dessus de marbre blanc.

161 — Petite banquette en bois sculpté et peint blanc avec coussin en soie rayée et brochée.

162 — Deux tabourets de pieds en bois peint blanc, couverts en broderie de soie.

163 — Deux petits canapés-marquise en bois sculpté et peint gris, couverts en soie brochée et rayée à fleurs. Genre Louis XVI.

525

164 — Canapé en bois peint gris, canné, avec coussin en satin blanc broché et rayé à fleurs.

165 — Grande bergère à oreilles en bois sculpté et doré, couverte en soie brochée à fleurs, fond rose.

525

166 — Deux consoles en bois sculpté peint gris et doré ; dessus de marbre de couleur.

510

410 167 — Canapé en bois doré, couvert en satin
blanc brodé à fleurettes.

168 — Petit canapé-marquise en bois doré, couvert en satin blanc broché et rayé à fleurs.

560 169 — Grande bergère en bois doré, couverte en
soie blanche brodée.

1.280 170 — Quatre fauteuils en bois sculpté et doré,
couverts en soie brochée rose à branches de
fleurs.

300 171 — Deux tabourets en bois sculpté et doré,
couverts en soie brochée, l'un carré, l'autre
ovale.

661 172 — Cinq fauteuils et une chaise en bois
sculpté peint blanc, couverts en tapisserie
au point à paniers de fleurs sur fond blanc.

173 — Bergère en bois sculpté et doré, couverte
en soie brochée et rayée à fleurs.

174 — Fauteuil de bureau en bois sculpté, canné
et doré, avec coussin en velours ciselé rose.

175 — Bergère à oreilles en bois sculpté et doré,
couverte en damas vert, avec coussin.

550 176 — Quatre chaises légères en bois sculpté et
doré, cannées.

177 — Deux canapés, trois fauteuils en bois sculpté et doré, couverts en velours ciselé à fond jaune. *1300*

178 — Canapé, deux bergères, deux chaises en noyer sculpté, couverts en velours ciselé rouge. *650*

179 — Fauteuil en bois sculpté et doré, canné ; coussin et têtière en soie brodée à fleurs. *300*

180 — Bergère en bois sculpté et doré, couverte en soie rayée saumon, et deux chaises légères en bois sculpté et doré, avec coussins en soierie. *285*

181 — Grande glace à trois faces, cadre en bois sculpté et peint blanc, avec peinture. Elle est ornée de deux appliques en bronze doré. *180*

182 — Salle à manger en chêne clair, garnie de bronze ciselé et doré, de style Louis XV, comprenant : une table avec plateau en glace, trois dressoirs, une table servante à étagère avec tablettes en marbre et douze fauteuils cannés avec coussins en soie verte brochée. *3 350*

183 — Grand lit en bois sculpté et doré, garni de soie brochée et brodée au point de chaînette. Style Louis XVI. *1 150*

184 — Ciel-de-lit en bois sculpté et doré, et rideaux en soie brochée à fleurs. *1385*

185 — Balance, de *Chameroy*.

186 — Huit chaises variées en bois sculpté, re-
couvertes en velours.

670   187 — Piano à queue en palissandre, de *Pleyel*.

187 *bis* — Piano droit, de *Pleyel*, en palissandre
noir.

188 — Deux fauteuils en noyer sculpté, pieds
tournés, siège et dossier couverts en velours
vert galonné.

189 — Deux supports en bois noir sculpté à
têtes d'éléphants.

190 — Tabouret-support en bois sculpté.

191 — Petite table en noyer sculpté et partielle-
ment doré.

192 — Quatre escabeaux en bois sculpté.

193 — Support-colonnette en bois sculpté peint
et doré à figure d'enfant.

194 — Stalle en chêne sculpté, formant coffre,
de style gothique.

195 — Grande stalle, formant coffre, en bois
sculpté et mouluré.

196 — Grande table en bois de placage, incrus-
tée d'os, pieds-balustres et entrejambes. Elle
est munie de deux tiroirs.

197 — Paravent, à trois feuilles, en bois sculpté
et doré, avec mascaron tête de femme, garni *251*
de panneaux d'étoffe brochée rouge et jaune.

198 — Chaise longue en trois parties en bois
sculpté, couverte en soie à fleurs à rayures
bleues sur fond blanc.

199 — Grand canapé en bois sculpté et doré, de
style Louis XVI, couvert en velours rouge. *800*

200 — Lit de repos, couvert en velours rouge
frappé.

201 — Deux grandes bergères en bois sculpté, *500*
couvertes en velours rouge frappé.

202 — Paravent, à quatre feuilles, en bois *250*
sculpté peint et doré, garni de glaces avec
peintures fleurs et oiseaux.

203 — Canapé et deux fauteuils en bois sculpté
et doré, couverts en soie bleue avec panier *1400*
et bouquets de fleurs brodés.

204 — Deux supports en bois sculpté et doré, de *460*
style Louis XIV.

205 — Tabouret en bois sculpté, couvert en
tapisserie au point.

206 — Table en noyer, avec entrejambes, pieds
à colonnettes.

207 — Deux sièges pliants à X en bois incrusté d'os.

208 — Table à jeu, avec tiroir, en bois sculpté, pieds à colonnettes.

209 — Deux fauteuils variés en bois sculpté, couverts en cuir et cloutés.

210 — Deux petits supports, sur trois pieds, en bois sculpté et doré.

300

211 — Meuble-crédence, ouvrant à deux portes, avec fronton en bois sculpté : chimères, têtes d'enfants, personnages et rinceaux.

212 — Deux fauteuils à haut dossier en bois sculpté.

170

213 — Crédence en chêne sculpté, à décor de fenestrages.

250

214 — Meuble-cabinet, à nombreux tiroirs, en bois incrusté d'ébène, garni d'appliques en cuivre.

215 — Table en bois incrusté d'ivoire et de nacre, pieds et entrejambes à colonnettes.

216 — Meuble-crédence, avec fronton, en bois incrusté de nacre ; il est orné de colonnes et de demi-colonnes.

217 — Meuble, à deux corps, en bois sculpté,
à cariatides et têtes de femme. Ce meuble   500
est surmonté d'une étagère.

218 — Deux meubles d'entre-deux en bois noir
à filets de cuivre, ouvrant à trois portes, gar-
nis de panneaux de laque à décor de paysages   3.040
avec personnages en relief; chutes et enca-
drements en bronze doré.

SELLE VELOURS
RIDEAUX — TAPIS
ÉTOFFES

219 — Selle en velours rouge, avec fontes, ornée d'applications de broderie métallique. Travail oriental.

220 à 225 — Vingt coussins couverts en soie brochée, soie brodée, velours, etc.

226 — Quatre rideaux en damas vert.

227 à 238 — Douze tapis et carpettes d'Orient.

239 — Objets omis au catalogue.

RED. :

18

0 1 2 3 4 5 6 7 8 9 10

BIBLIOTHEQUE NATIONALE DE FRANCE

* * * *

CHATEAU DE SABLE

1996

Made at Dunstable, United Kingdom
2025-02-12
http://www.print-info.eu/

58173907R00020